Cyhoeddwyd gyntaf yn 2013 gan
Wasg Gomer, Llandysul, Ceredigion SA44 4JL
www.gomer.co.uk

ISBN 978 1 84851 734 9



Dymuna'r cyhoeddwyr gydnabod cymorth
Adrannau Cyngor Llyfrau Cymru.

Argraffwyd a rhwymwyd yng Nghymru gan
Wasg Gomer, Llandysul, Ceredigion.

# CAWL MAM-GU!

ANGELA MORRIS

Babi bach oedd Emlyn.

Roedd Emrys, ei frawd, yn fawr ac yn gryf.

Roedd Dad yn chwarae rygbi dros Gymru.

Ond roedd rhywbeth yn poeni Mam.

'Mae'r babi yma'n mynd yn llai ac yn llai bob dydd,' meddai.

'Mae'n gwrthod yfed ei laeth . . .
na bwyta ei fwyd.'

'Dere, Emlyn bach,'
meddai Emrys.

'Beth am flasu'r asgwrn yma?'
meddai Guto.

Ond doedd dim diddordeb gan Emlyn.
DIM BYTH!

'Wel,' meddai Mam.

'Bydd rhaid i ni fynd i weld Mam-gu.'
ones
Evans

'Hoffet ti dipyn bach o gawl i'w fwyta?' meddai Mam-gu. 'Mae'n llawn daioni.'

calon
cawl
aws Caerffili

Doedd Emlyn ddim yn siŵr i ddechrau . . .

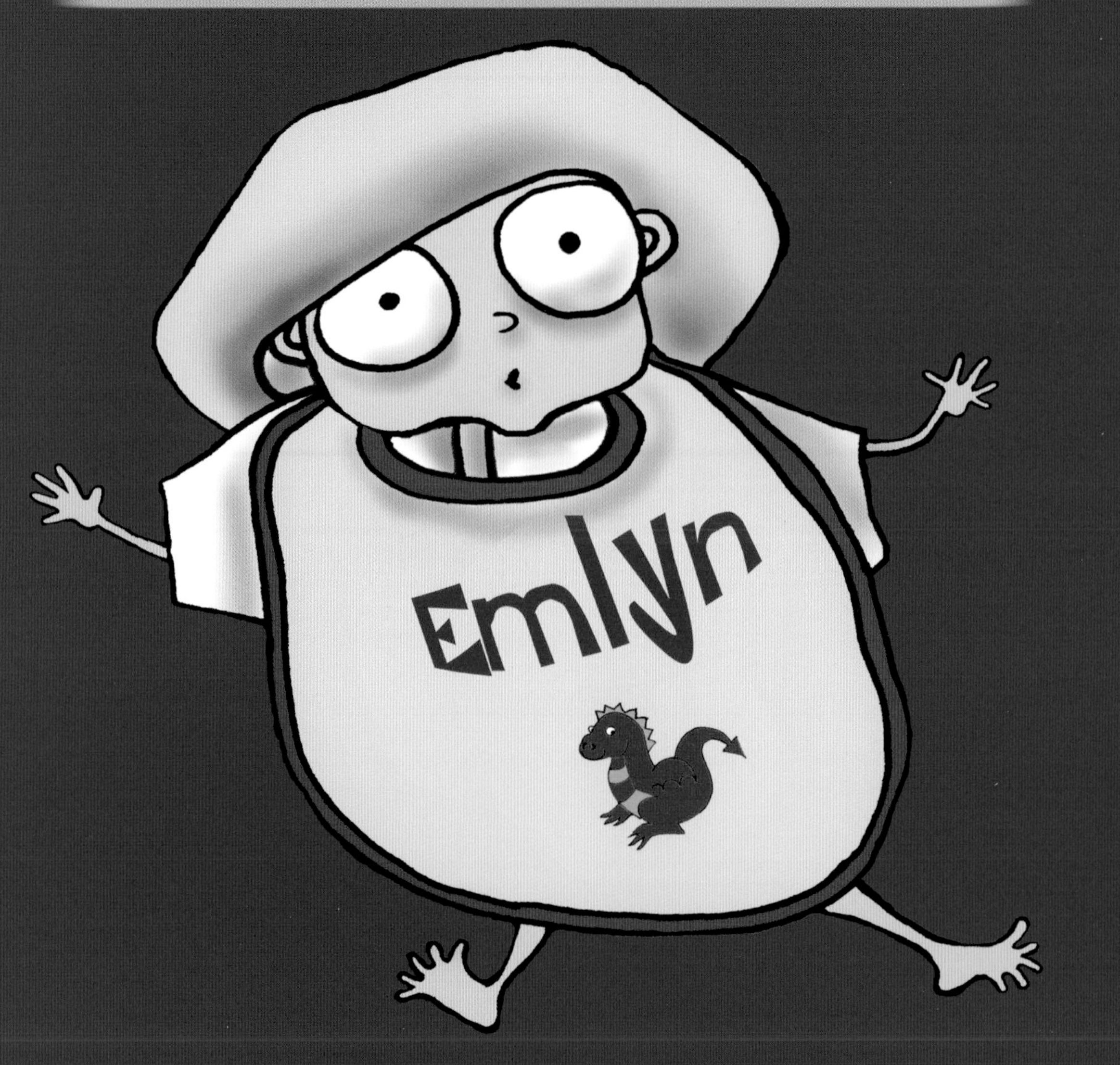

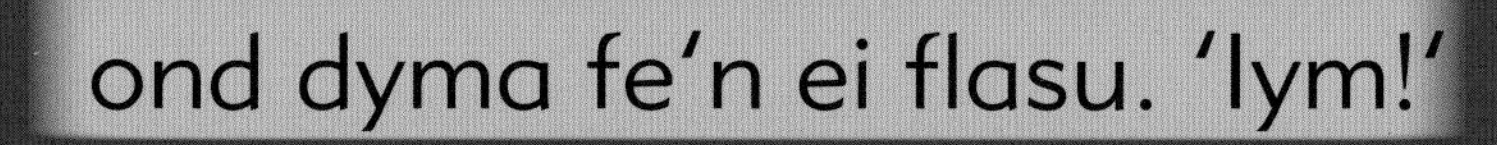

ond dyma fe'n ei flasu. 'Iym!'

A dyma fe'n . . .

tyfu . . .

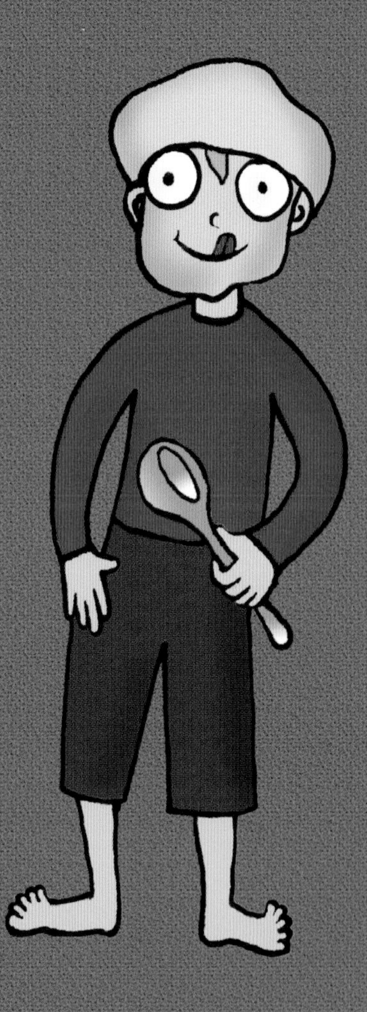

a thyfu . . .
a thyfu . . .

Cyn bo hir roedd Emlyn yn ddigon mawr

i chwarae rygbi gyda Dad ac Emrys.

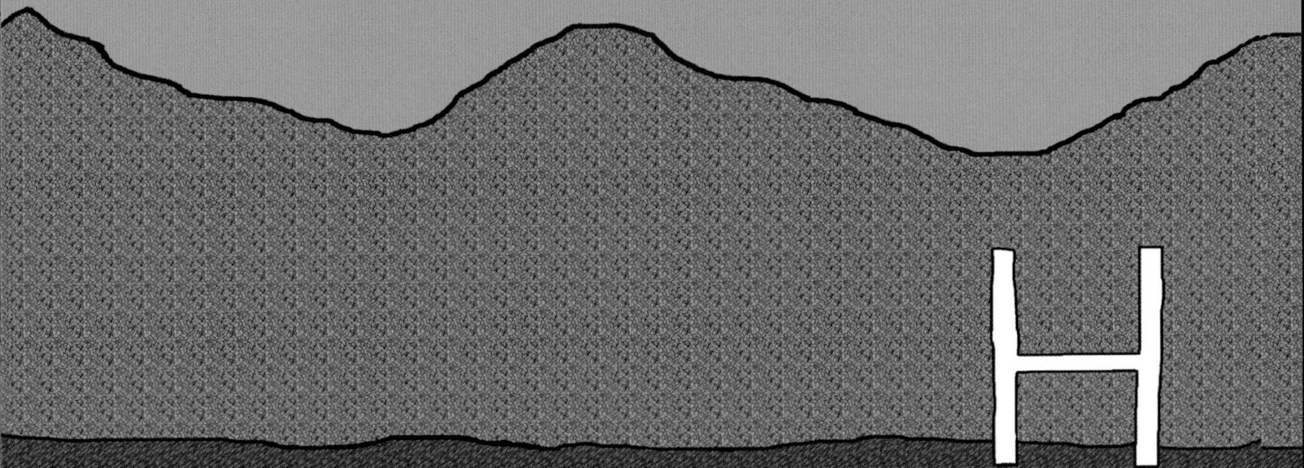

Cyn bo hir roedd e'n ddigon mawr

i chwarae rygbi dros Gymru.

Daeth cawl Mam-gu yn enwog . . .

a Mam-gu hefyd!

Enillodd ei chawl wobrau lawer . . .
fel y gwnaeth Emlyn.
CAWL
GORAU'R
BYD

'O, diolch, Mam-gu!'
Cawl Mam-gu